VillA Alfabet

Juffrouw Kummel en de kikkerprins

Juffrouw Kummel en de kikkerprins

Lida Dijkstra

educatieve

uitgeverij

Maretak

VillA Alfabet is een leesserie voor de betere lezer van groep 3 tot
en met groep 8.
VillA Alfabet Oranje is bestemd voor lezers vanaf groep 3.
Een VillA Alfabetboek biedt de goede lezer een uitdagende lees-
ervaring en verdiept deze ervaring door het extra materiaal dat in
het boek is opgenomen. Daarnaast is bij elk boek materiaal ont-
wikkeld dat in een aparte uitgave is verschenen: 'VillA Verdieping'.

© 2007 Educatieve uitgeverij Maretak, Postbus 80, 9400 AB Assen
© 2007 Lida Dijkstra (tekst)

Illustraties: Pauline Oud met hulp van Matthijs Mostert, 8 jaar
Teksten blz. 6, 74, 75 en 77: Ed Koekebacker
Vormgeving: Studio Huis, Amsterdam
Illustratie blz. 74-75: Gerard de Groot
ISBN 978-90-437-0313-0
NUR 140/282

LEES$_N$!VEAU

	ME	ME	ME	ME	ME		
AVI	S	3	4	5	6	7	P
CLIB	S	3	4	5	6	7	8	P

sprookjes | avontuur

Toegekend door Cito i.s.m. KPC Groep

De Nederlandse
Kinderjury
2008

Inhoud

(Als je ♦ tegenkomt, ga dan naar bladzij 77.
En als je het boek uit hebt, kom dan op bezoek in
VillA Alfabet, op bladzij 74-76.)

Sprookjes. Daar luister je naar of je leest ze.
Heb je ooit wel eens gedroomd dat je zelf in een
sprookje meespeelde?

donderdagavond

Hoi bedenk-boek,

Joepie, morgen ga ik weer naar
het kinderhotel. Voor de derde
keer. Dat komt zo.
Ik kreeg een brief van Juffrouw
Kummel, de baas van het hotel.
Ze schreef dat ze een verrassing
had voor Lot en Ties en mij.
Lot en Ties wonen in het
kinderhotel. Zij noemen zich
'de vasten'.
De kinderen die af en toe in het
hotel logeren zijn 'de gasten'.
Ik heb juffrouw Kummel de
vorige keer, toen de toverlantaarn
stuk was, goed geholpen.
Daarom ben ik eregast.
Ik mag in het hotel logeren

zo vaak ik maar wil, gratis
voor niks.
Ik zou ieder weekend wel
naar het hotel willen.
Maar dat vindt mijn moeder
niet goed.
Maar morgen mag ik wel!
Ik ga héééél vroeg weg.

Yes, yes. Bas gaat naar het
kinderhotel!

Ik ben zóóó benieuwd naar
die verrassing.
Wat zou het zijn?

Misschien dit?

$\longrightarrow$

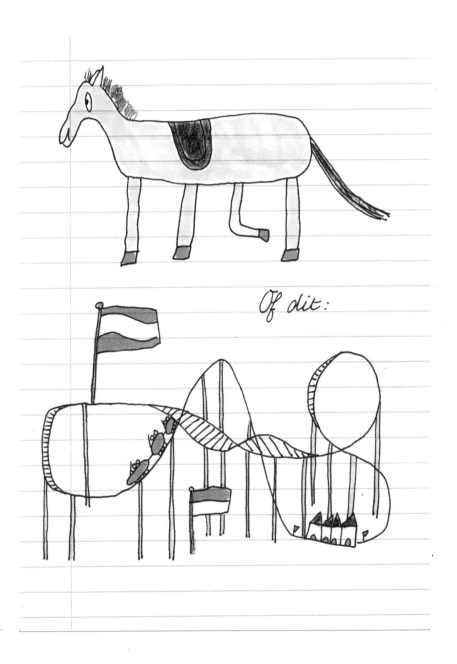

Of dit:

1 Het lezer-kanon

'Jongen, wat fijn dat je er bent!' zei juffrouw
Kummel. Ze trok Bas naar zich toe en knuffelde
hem plat. Zijn neus zat dubbel tegen haar jurk.
'Wat ben je gegroeid!'
Bas voelde lachend aan zijn neus.
'Waar zijn Ties en Lot?' vroeg hij.
'Hier!' klonk het.
Voetstappen roffelden op de trap. Ties en Lot
deden wie het eerst beneden was. Ties lag voor,
want hij nam twee treden tegelijk.
Ze waren beiden langer dan de vorige keer, zag
Bas. Lot had een roze truitje aan en een rood
doekje op haar hoofd.
'Basjuuuuh!' brulde Ties. Hij was het eerst
beneden. 'Gaaf man, dat je er weer bent.
Wat heb je daar in je hand?'

'Een mobieltje,' zei Bas trots. 'Ik heb het op mijn verjaardag gekregen.'

Ties pakte de telefoon en bekeek hem. 'Gaaf man,' zei hij weer. 'Kun je er ook foto's mee maken?'

Bas knikte trots. 'Filmpjes zelfs. Zal ik een foto van jullie maken?' Hij deed het meteen.

Lot bekeek de foto op het schermpje. 'Mijn ogen zijn rood,' zei ze. 'Trouwens, heeft juffrouw Kummel je al verteld over de verrassing?'

'Nee, wat is toch die verrassing?' vroeg Bas.

'We mogen hem uitproberen!' juichte Ties.

Bas begreep er niks van. 'Welke verrassing uitproberen? Hoe dan?'

Juffrouw Kummel stak haar hand op. 'Rustig, jongens, jullie overvallen Bas. Ties, als jij nu eens een rugzak met soezen en flesjes regenboog inpakt. En Lot, kijk jij of de deuren van het hotel op slot zijn. Dan laat ik Bas het lezer-kanon zien.'

'Het wat?' zei Bas.

'Kom maar mee,' zei juffrouw Kummel en ze wenkte hem met haar hand.

'Maar Ties en Lot...'

'Ga maar gauw,' riep Lot hem na. 'Ties en ik komen zo wel.'

Dus Bas liep de trap op, achter juffrouw Kummel aan. Op de helft ging de trap naar links. Naast de overloop zat een deur waarop 'bezemkast' stond. Bas wist dat daarachter een klein kamertje met een toverlantaarn was. Daarmee kon juffrouw Kummel de zwarte zaal in het Kinderhotel veranderen. Door de toverlantaarn werd het een jungle of een spookkasteel of de Noordpool. Wat ze maar wilde.

Juffrouw Kummel zwaaide de deur open en knipte het licht in het kamertje aan.

Bas keek om zich heen. De toverlantaarn was weg. Op de tafel stond nu iets dat op een computer leek. Of was het een sterrenkijker? Er zat een lange buis aan.

Bas tuurde in de buis, maar zag alleen een zwart gat.

'Dit is de verrassing,' zei juffrouw Kummel. 'Het heet een lezer-kanon. Jan Mus heeft het gemaakt. Herinner je je Jan Mus nog?'

Natuurlijk wist Bas nog wie Jan Mus was. Hij had
de uitvinder ontmoet toen hij de vorige keer in
het kinderhotel was.
'Waarvoor is dit lezer... eu... lezer...,' vroeg hij.
'Kanon,' zei juffrouw Kummel. 'Het is een
supercomputer. Die Jan Mus is een genie.' Ze wees
naar een gleuf. 'Hier kun je een boek inschuiven.
Maakt niet uit wat voor boek. En het lezer-kanon
vertaalt de tekst naar 3D-beelden.'
Bas begreep er niks van.

'Wat in het boek staat, wordt echt in de zwarte zaal,' legde juffrouw Kummel daarom uit.

'Bedoelt u dat de personen uit het boek echt worden?'

'Zo echt als jij en ik.'

'Dus ze lopen en praten?'

'En eten en lachen en snurken en laten windjes,' zei juffrouw Kummel.

'Dus als u een Donald Duckje in de gleuf schuift...'

'Dan kunnen we zwemmen in het geld van Dagobert Duck,' zei juffrouw Kummel.

'Of spelen met Kwik, Kwek en Kwak.'

Bas' mond viel open van verbazing.

'En als u een boek van Harry Potter in de gleuf stopt?'

'Dan kun je straks een potje zwerkbal spelen of dwalen door de gangen van Zweinstein.'

'Wauw,' zei Bas. 'Dat lijkt me het einde.'

'Dat dacht ik wel,' zei juffrouw Kummel. 'Daarom mag je met ons mee om het lezer-kanon te testen. Jan Mus heeft het gisteren aangesloten. Maar ik wil weten hoe het werkt en of het veilig

is voordat de nieuwe gasten morgen komen.'
'Gaat u mee de zwarte zaal in?' vroeg Bas. Want
normaal gingen de kinderen die in het
kinderhotel logeerden, alleen. Juffrouw Kummel
bleef altijd achter om de toverlantaarn te
bedienen.
Juffrouw Kummel zei dat ze deze keer meeging.
'Dus we gaan met z'n viertjes!' zei Bas. 'Leuk,
welk boek doen we? O, laten we "De Griezelboot"
nemen, dat zit vol spoken en geesten en is lekker
eng. Please, please?'
Juffrouw Kummel fronste. 'Geen denken aan, van
dat soort boeken houd ik niet. Bah zeg, geesten.
Nee hoor, deze nemen we.'
Ze hield een groot boek omhoog waarop met
gouden letters "De mooiste sprookjes" stond.
'Sprookjes zijn saai,' zei Bas.
'Niks saai,' zei juffrouw Kummel opgeruimd. 'In
elk sprookje zit een boef of een heks en die zijn
nooit saai. Niet in de lens kijken, Bas!'
Ze duwde het sprookjesboek in de gleuf en drukte
op een knop. Het lezer-kanon begon te zoemen,

rode en groene lampjes flikkerden en een fel licht
knalde de buis uit.
'Hij doet het.' Juffrouw Kummel klapte in haar
handen. 'Dan gaan we nu snel naar de zwarte
zaal.'
'Hoeft niemand bij het lezer-kanon te blijven?'
vroeg Bas wat bezorgd.
Maar Juffrouw Kummel zei dat er niks mis kon
gaan. De computer regelde alles.
Ze liep naar de deur. 'Mooi zo, waar wachten we
dan nog op?'
Bas voelde of zijn bedenk-boek in zijn zak zat.
Als hij Sprookjesland inging, wilde hij wel
opschrijven wat hij zag en dacht. O, en met zijn
nieuwe mobieltje kon hij foto's maken. Die kon
hij dan ook in zijn bedenk-boek plakken.
Juffrouw Kummel was al weg. Snel ging Bas
achter haar aan. ♠

2 De rode knop

Lot en Ties stonden al bij de ingang van de
zwarte zaal.
'Hebben we soezen en flesjes regenboog?' vroeg
juffrouw Kummel.
'In de rugzak,' lachte Lot.
'Zaklamp, wc-papier, schaar, regenjassen,
reservekleertjes, paraplu?'
Lot klopte op de rugzak en zei dat alles erin zat.
'Mooi,' zei juffrouw Kummel. 'Dan gaan we naar
binnen.'
Ze duwde de deur van de zwarte zaal open. Bas
liep achter de anderen aan. Zijn hart klopte in
zijn keel. De zwarte zaal ingaan vond hij altijd
spannend. Je wist nooit wat je te wachten stond.
Langzaam viel de deur achter hen in het slot.
Voor hen lag een lieflijk landschap. Een wei

grensde aan een bos. Er straalde zacht licht en er stond een regenboog aan de lucht.

'Oooh,' zei Lot.

Ook Bas keek ademloos rond. Ze waren echt in een sprookjeswereld. Alles had zuurtjeskleuren. Bas hoorde dat de vogels in de bomen echte liedjes floten, met coupletten en refreintjes. Hij ademde diep in. De wind rook zoet. In de verte liep een moedergeit met zeven kleintjes achter haar aan. Toen Bas zwaaide, wuifden een paar geitjes terug.

'Blijf wel op je hoede,' zei juffrouw Kummel. 'Overal kan een boef zitten, want dit blijft een avontuur. Ik vraag me af wat onze opdracht is. We moeten toch een raadsel oplossen of iemand zoeken, of zoiets?'

'Dat was bij de toverlantaarn altijd wel zo,' zei Ties. 'Je speelde een soort spel waarbij je een opdracht had.'

Dan heeft Jan Mus dat nu ook ingebouwd, dacht juffrouw Kummel.

Lot knoopte haar hoofddoekje wat beter vast.

'Draag je dat omdat je haar vet is?' vroeg Bas plagend.

Lot stak haar tong naar hem uit.

Ties was naar de deur van de zwarte zaal gelopen omdat hij wilde weten of Jan Mus iets veranderd had. Hij stak zijn hand uit en voelde ergens aan.

'Jongens, we hebben een probleem,' zei hij toen.

Alle hoofden draaiden zijn kant op.

'De noodknop is weg,' zei Ties.

Toen zagen de anderen het ook. Naast de deur zat altijd een rode knop waarop je kon drukken als je de zwarte zaal uit wilde. Maar nu zat er, behalve een kale schroef, niks.

'Dus we kunnen de zwarte zaal niet uit?' zei Bas. 'Lekker is dat. Straks zit er een monster achter ons aan en dan kunnen we niet weg.'

Juffrouw Kummel stak haar kin in de lucht. 'Met z'n vieren kunnen we best een monster aan,' zei ze luchtig.

Daar was Bas niet zo zeker van. 'Misschien moeten we de rode knop gaan zoeken,' zei hij. 'Misschien is dat onze opdracht.'

'Kan best,' vond juffrouw Kummel. 'Kom op jongens, we gaan Sprookjesland verkennen. We vragen gewoon aan iedereen of ze onze rode knop hebben gezien. O, ik hoop zo dat we een reus tegenkomen. Of een vrouw die goud uit stro spint.'

'Dan mag ze het mij leren,' lachte Lot.

'Misschien komen we een heks tegen,' zei Bas somber terwijl hij de anderen volgde. 'Zo eentje met een kromme neus die ons in een kooi stopt en dan vetmest om ons op te eten.'

Lot gaf hem een por. 'Je bent toch niet bang?'

Bas snoof. 'Ikke niet.'

Vrijdag, 's ochtends

Hoi bedenk-boek,

Ik hoop dat we de rode knop snel vinden. Het is hier wel mooi, maar we zitten toch opgesloten en daar houd

ik niet van. Ik wil uit de
zwarte zaal kunnen als dat
moet.

Nadat we een eind hadden
gelopen, zijn we even gaan
zitten aan de rand van een
vijver. Ik heb drie soezen
gegeten. Die zijn zóóó
lekker. Op weg hiernaartoe
kwamen we langs een sloot.
Er stond een blote man in.
Nou ja, bloot, hij had wel een
onderbroek aan. Omdat hij
om hulp riep, wilde juffrouw
Kummel hem uit de sloot
trekken.
Maar toen sprong er een
kat uit de bosjes.
Een heel raar beest met
een hoed op en laarzen aan.

Ik heb een foto van hem
gemaakt.

Die kat zei dat wij weg
moesten gaan. Nou jááá, stom hè?
Terwijl die blote man in de sloot
stond te bibberen.
Hé, ik hoor geplons. O nee, er
klimt een beest uit de vijver.
Wegwezen!
O wacht, het is maar een kikker.
Wel een gekke. Foto!

3 Prins Frosk

Bas stak zijn bedenk-boek in zijn zak. Hij wees
naar de kikker zodat de anderen hem ook zagen.
De kikker was groter dan gewoon, groen als gras
en droeg een kroontje. Hij hipte naar Lot en
kwaakte: 'Schone prinses. Kus mij.'
'Krijg nou wat, hij praat,' zei Ties.
De kikker keek Ties aan. 'Wel zeker, jonge knaap,'
zei hij. 'U praat zelf toch ook?'
Toen sprong hij op Lots schoot. 'Kus mij, schone
prinses,' zei hij weer.
Boos keek Lot naar haar broek. 'Door jouw
modderpoten ben ik nu anders niet zo schoon
meer,' zei ze. 'En een prinses ben ik ook niet.'
'Weet u dat zeker?' zei de kikker. 'Want u bent zo
knap!'
'Dank je,' zei Lot terwijl ze de kikker niet één

moment uit het oog verloor.

'Eén kusje,' zeurde die verder, 'zodat de betovering verbreekt.'

'Lieve help, bent u betoverd? Hoe komt dat nou?' vroeg juffrouw Kummel.

De kikker nam een diepe hap lucht en ratelde: 'Boze heks reed ik aan met mijn paard ruzie gekregen dom nooit ruziemaken met een heks weet iedereen paard is nu een muis vannacht volle maan moet gekust worden wil geen kikker zijn haat water weet u dat ik vliegen eet enig idee hoe een vlieg smaakt bah kus mij.'

'Dat kon ik zo gauw niet volgen,' zei Lot.

'O, je hebt het best begrepen,' zei Bas plagend.

'Je durft hem alleen niet te kussen.' Ties keek van de een naar de ander en grijnsde.

'Heus wel,' zei Lot.

'Nietes!' zei Bas. 'Je durft niet, je durft niet.'

Lot snoof en pakte de kikker met twee handen op. Met haar ogen dicht gaf ze hem een zuinig zoentje. Snel wreef ze met haar mouw haar lippen schoon.

Er klonk een droge plof.
Voor hen stond een man met een groene pofbroek
en een zwaard in zijn riem. Erg knap was hij niet,
vond Bas. Zijn ogen waren wat bol en zijn mond
wat breed. Net of je nog kon zien dat hij een
kikker was geweest.
De prins knielde voor Lot en kuste haar hand.
'Prins Frosk is de naam. Hoe kan ik u danken?' zei
hij. 'Trouw met mij.'
Bas en Ties proestten het uit. Ook juffrouw

Kummel moest een lach verbergen.

Lot werd rood en stamelde: 'Ikke... ik wil niet trouwen. Ik ben nog te jong.'

De prins stond op en klakte zijn hakken tegen elkaar. 'U breekt mijn hart. U bent zo lief. En ik moet gaan trouwen.'

'Waarom dan?' vroeg Bas.

De prins keek hem verward aan. 'Eu, dat hoort zo. In elk sprookje trouwt een prins met een prinses. Daarna krijgen ze kleine prinsjes en prinsesjes en ze leven nog lang en gelukkig. Met de roddelpers achter zich aan. Zo gaat dat.'

Juffrouw Kummel werd weer praktisch. 'Nou ja, u bent in ieder geval weer mens. Lot is geen prinses, maar dit is Sprookjesland. Het stikt hier vast van de prinsessen. Ga maar met ons mee, dan zoeken we er een voor u.'

De prins deinsde achteruit. 'Meent u dat? O, oude wijze vrouw, wilt u mij helpen?' Hij boog. 'Zeg mij wat ik moet doen en ik doe het. Als ik maar een prinses vind!'

'Noem mij liever geen oude vrouw,' zei juffrouw Kummel streng. 'Zo oud ben ik niet. Bent u hier bekend?'

'Ik weet onderhand niet meer waar ik ben,' antwoordde de prins. 'Ik ging alle kanten op om een prinses te zoeken. Dus ik reed over bergen en door dalen, langs sloten en kanalen. Op en neer, heen en weer.'

'En u bent nergens een prinses tegengekomen?' vroeg Ties.

'Eentje,' zei de prins. 'Ze sliep in een paleis dat

begroeid was met rozen. Wat een doorns, zeg. Niet door te komen.'

'Dus dat is niks geworden?' begreep Ties.

De prins zuchtte.

'We gaan gewoon een andere prinses voor u zoeken,' zei Bas.

De prins keek hem dankbaar aan. 'U geeft mij moed, jonge vriend. Samen vinden we vast een prinses. Bijlo, laten wij gaan.'

'Hij praat wel raar,' fluisterde Bas in Lots oor.

'Kom op, mensen, op prinsessenjacht!' zei juffrouw Kummel. 'Misschien is dát onze opdracht wel. Trouwens, prins Frosk, we zijn zelf op zoek naar een rode knop. Hij is ongeveer zó groot en van glas.' Ze hield haar wijsvinger en duim een stukje uit elkaar. 'Hebt u die soms gezien?'

De prins zei van niet.

Ties hees de rugzak weer op zijn schouder. Lot knoopte haar hoofddoek weer wat strakker. Toen volgden ze juffrouw Kummel. Bas genoot van de kleuren om hen heen, maar hij maakte zich wel een beetje zorgen. Vervelend dat die rode knop

weg was. En stel dat het lezer-kanon stuk ging?
Dan zaten ze hier opgesloten en kon niemand hen
komen helpen.
De anderen maakten zich helemaal geen zorgen.
Ze praatten en lachten. Lot wees naar een
paddestoel waar een schoorsteentje op stond.
Het pad slingerde langs de dichtbegroeide berm.
Er klonk geritsel uit de struiken.
Niemand hoorde het, ook al kwam het steeds
dichterbij.

4 De hongerige wolf

Opeens klonk er gejank en gegrom. Er sprong iets
uit de struiken. Het was zwart en harig.
Lot gilde. Bas' hart miste twee slagen.
'Wolf!' schreeuwde de prins. 'En garde!' Hij trok
zijn zwaard uit zijn riem.
De wolf dook met een grom op Lot en beet in
haar hoofddoek.
Lot sloeg gillend naar de wolf en trapte hem. De
wolf zette zijn tanden in haar mouw waardoor de
stof scheurde.
Toen kwam juffrouw Kummel in actie. Met een
zwaai trok ze haar paraplu uit de rugzak. Ze gaf
de wolf een aantal fikse meppen. Nog eens haalde
juffrouw Kummel uit. Na deze klap liet de wolf los.
'Scheer je weg of ik sla je tot moes,' zei juffrouw
Kummel schor.

De wolf dook in elkaar. 'Genoeg,' huilde hij.
'Dan eet ik wel niet.'
Er klonk een rommelend geluid.
Bas keek rond. 'Onweert het nou?' vroeg hij.
'Dat doet mijn maag,' jankte de wolf. 'Ik heb in
geen dagen gegeten. Kijk maar eens hoeveel
honger ik heb.' Hij zoog zijn buik naar binnen. Je
kon zijn ribben zien.
'Stel je niet aan,' zei juffrouw Kummel. 'Honger of
niet, je valt geen mensen aan. Dat hoort niet.'
'Maar ik ga bijna dood,' jankte de wolf met
rollende ogen. 'En omdat ik Roodkapje zag...'
'Is Roodkapje hier ook?' vroeg Bas om zich heen
kijkend.
'Hij bedoelt Lot,' zei Ties. 'Ze heeft een rood
doekje op.'
Lot trok het hoofddoekje af en smeet het op de
grond. 'Ik wil het niet meer,' zei ze boos.
'Er zit nog wel een schone in de rugzak,' zei
juffrouw Kummel. 'Is alles verder goed met je,
kind?'
'Nee, kijk mijn trui maar eens,' zei Lot.

Ze trok aan de kapotte mouw.

'Honger, honger,' jammerde de wolf. 'Ik sterf van de honger en jullie doen niks. Ik zou zelfs die grootmoeder wel lusten, al ziet ze er taai uit.' Hij loerde naar juffrouw Kummel.

'Ik ben geen grootmoeder,' zei juffrouw Kummel kort. 'Geef dat beest maar een paar soezen.'

Bas deed het. Hij stak Lot ook een schoon blauw hoodfdoekje toe. Ze knoopte het meteen op haar hoofd.

Zonder te kauwen slikte de wolf de soezen door.

'Meer, meer,' zei hij.

'Nee. Dan hebben we zelf niks meer,' zei juffrouw Kummel. 'Zoek jij je eigen eten maar.'

'Al goed,' zei de wolf somber. 'Hebben jullie onderweg ook kippen of geiten gezien?' Hij likte zijn lippen.

'Nee, niet een,' jokte Bas snel. Hij dacht aan de zeven geitjes met hun moeder. Daar bleef die wolf maar mooi van af.

'Wolf, heb jij soms een rode knop gezien?' vroeg juffrouw Kummel op haar beurt.

'Hij is van glas en ongeveer zó groot.'

De wolf schudde zijn kop.

'Heb je dan misschien een prinses gezien?' vroeg prins Frosk.

'Niet gezien, maar ik ruik er wel een paar,' zei de wolf. '

De prins sperde zijn ogen open. 'Kun jij prinsessen ruiken?'

'Ik heb een speurneus,' zei de wolf. 'Ik ruik alles en iedereen. Op dit moment ruik ik...' Hij stak zijn neus in de lucht. 'Zeven dwergen, een kat met zweetvoeten, een blote keizer en een handvol prinsessen.'

'Wil je mij naar zo'n prinses toebrengen?' vroeg de prins gretig.

De wolf kneep zijn ogen halfdicht en zei: 'Voor wat, hoort wat. Wat krijg ik dan in ruil?'

'Een ham!' riep de prins. 'Een hele ham voor jou alleen.'

Kwijl droop uit de bek van de wolf. 'Een ham voor een prinses? Deze kant op,' zei hij en hij begon voor het groepje uit te rennen.

vrijdagmiddag

Hoi bedenk-boek,

We hebben zo lang achter de
wolf aangerend, dat we er
moe van zijn. Daarom hebben
we nu een uitpuf- en
plaspauze. Hier in het bos
zijn geen wc's, dus we
moeten om beurten achter
een boom. Erg joh, want wat
is de achterkant van een boom?
Misschien sta je juist wel
vóór de boom. Gelukkig
hebben we wc-papier bij ons.

Ik wacht al een tijd op de
anderen. Lot zit al een eeuw
achter een struik. Het lukt
niet zo, geloof ik.
Wat ik me afvraag...

Is de wolf gemeen omdat hij
Roodkapje en geitjes wil eten?
Of is juffrouw Kummel te
streng voor hem?
(Hij is nu eenmaal een wolf.)

Een kip eet een worm.
Maakt dat een kip slecht?
Een vos eet een kip.
Worden de kuikens daar
verdrietig van en missen ze
hun mama?

Kunnen dieren verdrietig
zijn? (En hoe zie je dat dan?)
Kunnen dieren van elkaar
houden?
Kunnen ze dat tegen elkaar
zeggen? (En dan niet in
Sprookjesland, want daar
praat iedereen.)

Is het gek dat ik altijd
zoveel vragen heb?

5 Snow

Ze liepen nog een kwartier toen de wolf zei: 'Daar verderop, een prinses voor meneer, ingepakt en wel. Mag ik even afrekenen? Een ham graag.'
De prins liep langzaam verder met zijn hand aan het zwaard. 'Wanneer we een slager tegenkomen,' zei hij zacht.
'Staat daar nou een bak van glas?'
De anderen liepen achter hem aan. Door de bomen schemerde een open plek in het bos. Op een heuvel stond een glazen kist met zeven dwergen eromheen. Ze huilden.
'Sneeuwwitje,' fluisterde Bas.
Ja, dat zie ik ook,' zei Lot droog.
Sneeuwwitje lag doodstil. Ze was bleek als een schim.
Bas stootte Lot aan. 'Hé, ik bedenk opeens iets.

Sneeuwwitje wordt toch wakker gekust door een
prins?' vroeg hij.
'Ja?'
'Misschien is die prins wel onze prins Frosk,' zei
Bas.
Lots ogen lichtten op. 'Hé ja, dat zou best kunnen.'
Prins Frosk liep naar de dwergen toe. 'Mag ik iets
vragen?' vroeg hij.
De dwergen keken op en hielden op met
snotteren.
'Die prinses, is zij... ik bedoel.... hoe...'
'Ze is gestikt in een stuk appel,' zei het kleinste
dwergje. 'Ze ademt nog wel, maar we krijgen haar
niet wakker.'

'We hebben alles geprobeerd,' zei de dwerg met een knoop in zijn baard. 'Wekkers, tien hanen. Zelfs een emmer koud water. Maar ze wordt niet wakker.'

'Een prins moet haar wakker kussen,' zei Ties.

'Ja, dat helpt vast,' zei de dwerg met flaporen boos. 'Een emmer water helpt niet, maar een natte zoen wel. Geloof je het zelf?'

'Het is echt waar,' zei Lot.

'Ik kan het toch proberen?' vroeg prins Frosk.

'Baat het niet, het schaadt ook niet.'

'Pfff,' zeiden de dwergen. Maar ze hielden hem niet tegen.

Prins Frosk schoof met trillende vingers het deksel van de kist opzij. Met veel gerinkel viel het aan scherven.

'Sorry,' zei prins Frosk. 'De zenuwen, hè? Stuurt u de rekening maar naar het Paarse Paleis. Daar woon ik.'

Zeven paar ogen keken hem woedend aan.

Prins Frosk keek naar Sneeuwwitje. Ze lag zo stil als een beeld.

'Ze is wel heel mooi,' fluisterde Lot. 'Niet één rimpel. Niet eens een puistje.'

Prins Frosk boog voorover en kuste Sneeuwwitjes wang. Iedereen hield zijn adem in.

Er gebeurde niks.

'Misschien was die kus te lauw,' zei de prins. Nog eens boog hij zich voorover. Ditmaal zoende hij Sneeuwwitje lang op de mond.

'Jakkiebakkie,' zei Bas.

Met een rood hoofd kwam de prins overeind. Iedereen keek gespannen naar Sneeuwwitje. Bewoog er een wimper? Kwam er een blos op haar wangen? Maar niks hoor.

'Misschien bent u wel niet de goede prins,' zei Ties. 'Misschien bent u de prins van Assepoester of van Rapunzel.'

'Of van Maxima!' zei Lot vrolijk.

'Die is al getrouwd,' zei juffrouw Kummel. Ze rolde haar mouwen op. 'Dat gezoen is wel mooi en aardig, maar niet erg handig,' zei ze. 'Het kind heeft een stuk appel in haar keel. Dan helpt maar één ding: EHBO.'

'Wat is dat nu weer?' zei Bas.

Lot legde het uit: 'Eerste Hulp Bij Ongelukken. Juffrouw Kummel heeft er een diploma voor.'

'Help eens mee,' zei juffrouw Kummel. Ze gaf aanwijzingen aan Ties. Samen sjorden ze Sneeuwwitje uit de kist.

'Zeg, wat stelt dit voor?' zei de kale dwerg boos.

'Ik ga de Heimlich-greep bij haar doen,' zei juffrouw Kummel. Ze sloeg haar armen om het middel van Sneeuwwitje. Die hing als een zak meel in haar armen. Juffrouw Kummel gaf een ruk. 'Poeh, dat valt niet mee,' hijgde ze. Weer gaf ze een ruk.

Opeens vloog een stuk appel uit Sneeuwwitjes mond. Toen Sneeuwwitje begon te hoesten, liet juffrouw Kummel haar los.

Sneeuwwitje deed haar ogen open en wankelde. De dwergen vingen haar op.

'Dat is gelukt,' zei juffrouw Kummel. 'Kijk eens, ze krijgt alweer kleur.'

'Hoera, je bent weer beter,' riep de dwerg met flaporen. 'Nu hoeven we niet meer zelf te wassen.'

'Niet meer zelf te strijken!' riep de dwerg met een knoop in zijn baard.
'Bak je morgen weer een pruimentaart?' vroeg de kleinste dwerg.
Wazig keek Sneeuwwitje rond. 'Waar ben ik? Wie zijn jullie?'
Juffrouw Kummel stelde iedereen voor. Als laatste kwam prins Frosk aan de beurt. Hij viel meteen op zijn knieën en zei: 'Lieve prinses, wilt u met me trouwen?'
Sneeuwwitje keek naar zijn brede mond en zijn bolle ogen. 'Hoezo?' vroeg ze toen.

'Nou gewoon, dan leven we nog lang en gelukkig,'
zei de prins.
'En wat houdt dat in? Wat gaan we dan doen?'
vroeg Sneeuwwitje.
'Niks, wandelen en zo,' zei de prins.
'Ook saai,' vond Sneeuwwitje.
De dwergen sloegen hun armen om haar benen.
'Je blijft bij ons, hè?' smeekten ze.
Boos keek Sneeuwwitje op hen neer. 'Dat al
helemaal niet,' zei ze. Bij jullie heb ik me een
hoedje gewerkt. Dweilen, soppen, zemen, koken,
wieden, naaien. Gaan jullie je eigen boeltje maar
weer runnen, want ik stop ermee.'
De dwergen keken sneu.
'Ik wil iets doen voor mezelf,' zei Sneeuwwitje.
Juffrouw Kummel knikte. 'Heel wijs, kind,' zei ze.
'Ga studeren. Leer een vak.'
'Of word model!' riep Lot. 'Je bent er mooi genoeg
voor.'
'Denk je dat?' vroeg Sneeuwwitje.
'Zeker weten,' zei Lot.
Sneeuwwitje knikte. 'Dat lijkt me een leuk beroep.

Ik verander wel mijn naam, want Sneeuwwitje
vind ik tuttig. Vanaf nu heet ik Snow.'
'Snow klinkt erg hip,' vond Lot. 'Net een popster.'
'Ik ga mijn spullen inpakken,' zei Sneeuwwitje en
ze verdween.
'Lekker is dat. Nou heb ik nog steeds geen
prinses,' zei de prins somber.
'En ik nog steeds geen ham,' grauwde de wolf.

vrijdag, vroeg in de avond

Hoi bedenk-boek,

We hebben het druk gehad.
Dit hebben we gedaan:
1. Scherven van de kist opgeruimd.
2. Rooster gemaakt voor de dwergen.
Juffrouw Kummel heeft het
bedacht en ik heb het
geschreven in mijn mooiste letters.

Vele handen

Dag →	maan	dins	woens
Dwerg ↓	🌙		
Kleintje	koken	ramen zemen	koken
Knoopje	afwassen	koken	tuinieren
Flapje	bedden opmaken	afwassen	koken
Sikje	wassen	bedden opmaken	afwassen
Propje	boodschappen	was verstellen	bedden opmaken
Sliertje	boodschappen	opruimen	strijken
Bloothoofd	opruimen	vegen	wc schoonmaken

maken licht werk

donder	vrij	zater	zon ☀
hout 🪓 hakken	vrij	vegen	bedden opmaken
opruimen	vrij	dweilen	voorlezen
badkamer schoonmaken	vrij	opruimen	problemen oplossen
koken	vrij	afstoffen	opruimen
afwassen	vrij	koken	taart bakken
bedden opmaken	vrij	afwassen	koken
was opvouwen	vrij	bedden opmaken	afwassen
↳ + opbergen			

uit eten en de boel de boel laten...!!!

45

3. Slager gevonden. (Door de wolf zijn speurneus)
4. Ham gekocht.

De dwergen kennen geen andere prinsessen.
Jammer voor prins Frask, want die zoekt er nog steeds één.
Hij heeft de wolf gevraagd om weer een nieuwe op te sporen.
Dat wilde de wolf wel als hij er weer een ham voor kreeg.
Onze rode knop is nog steeds zoek.
De dwergen hebben hem niet gezien.

6 De geur van prinses

'Niet zo snel,' riep de prins.

'Maar ik ruik prinses. We zijn nu vlakbij!'

De wolf holde ver vooruit. 'Slome slakken, schiet eens op!'

'Jij hebt vier poten, wij maar twee benen,' hijgde de prins. 'Wacht nou even.'

De wolf deed het. Juffrouw Kummel, Bas, Ties, Lot en de prins haalden hem weer in.

Nog twee keer namen ze een bocht. Ze renden langs een rietkraag. Waar die ophield, zagen ze een vijver.

'Daar zwemt een prinses!' riep de prins terwijl hij naar het water rende.

Bas zag een bloot meisje. Ze schrok toen hij snel een foto nam. Plons, een vissenstaart kwam boven en weg was ze.

'Dat was geen prinses. Dat was de kleine zeemeermin,' zei Ties.

'Geen prinses?' vroeg de prins met een sip gezicht.

'Verder, verder, ik wil mijn ham!' riep de wolf.

'Ik hol niet meer.' Juffrouw Kummel bleef hijgend staan. 'Ik heb steken in mijn zij. En ik doe dit avontuur wel voor mijn plezier, hoor.'

Ze gingen lopen. Lot wees naar een moestuin waar pompoenen groeiden, zo groot als een koets. En een bonenplant die tot in de wolken reikte. Bas nam weer foto's.

Opeens stonden ze voor een paars paleis.

'We zijn er,' zei de wolf. 'De lucht is hier vol met geur van prinses.'

Prins Frosks mond viel open.

'Dat kan niet,' stamelde hij.

'Waarom niet?' vroeg Bas.

'Hier woon ikzelf met mijn moeder.'

'Ik vergis me niet,' zei de wolf koppig. 'Kom maar op met die ham.'

Door het knerpende grind liepen ze naar de deur
waaraan een klopper hing.

Bas liet de klopper neerkomen op de deur. Hij
schrok van het lawaai.

De deur zwaaide open. 'Ja?' zei de lakei.

Een oude vrouw in een blauwe jurk kwam
aangelopen.

'Wat willen ze?' riep ze.

'Wat wilt u?' vroeg de lakei terwijl hij met een
vies gezicht naar de wolf keek.

Toen de oude vrouw opeens de prins in het oog
kreeg, riep ze: 'Frosk, waar bleef je nou? Heb je
mijn bericht gekregen?'

'Mama, alles goed met u?' zei prins Frosk.

'Welk bericht?'

'Post per duif.'

Op het hoofd van prins Frosk streek een duif neer.

Bas, Ties en Lot moesten hard lachen.

'Daar zul je je bericht hebben,' zei Lot.

Prins Frosk viste de duif van zijn
hoofd en haalde een briefje uit
een kokertje. Hij las het voor:

Waarde zoon,

Kom snel naar huis.
Er is een meisje aan komen
lopen in de regen.
Ze zegt dat ze een prinses is.
Ik houd haar hier en doe
een test, zodat we kunnen
zien of het waar is.

Kom je snel thuis?

Kus van mama.

P.S. Ze ziet er leuk uit.

Blij keek prins Frosk naar zijn moeder. 'Dus er is een prinses in ons paleis?'

Zijn moeder knikte. 'Kom toch binnen, zoon. Vannacht test ik haar. Neem snel even afscheid van... eh... het volk.' Ze keek vol afkeer naar Lots kapotte trui.

'Dit zijn mijn vrienden, mama,' zei de prins. 'Ze hebben me geholpen. We zijn moe en hebben trek. Dus ik nodig ze graag uit om te blijven eten en slapen.'

'Juist ja,' zei de koningin zuur. 'O, nou, dat moet dan maar. Enne... dat daar?' Ze wees naar de wolf.

'Hebben we nog een ham?' vroeg de prins.

'Natuurlijk,' zei zijn moeder. 'Er liggen wel tien in de kelder.'

'Loop maar naar de achterdeur,' zei de prins tegen de wolf. 'Dan krijg jij je ham. En nog bedankt voor je hulp.'

'Geen dank,' zei de wolf. 'Maar eh... ben ik ontslagen?' Zijn staart zakte tussen zijn achterpoten.

'Nou, ik heb je niet meer nodig,' zei de prins.

De wolf boog zijn kop. Hij zag er zo verloren uit dat Bas medelijden met hem kreeg. Daarom zei hij: 'Maar prins, u hebt toch wel vaker wat speurwerk?'

'Tsja,' zei de prins, 'ik ben mijn slippers of de sleutel van het kasteel natuurlijk wel eens kwijt.'

'Dan kunt u de wolf toch weer roepen?' vroeg Lot. De wolf keek blij op.

'Goed,' zei prins Frosk, 'de volgende keer als ik iets kwijt ben...'

'Spoor ik het op!' riep de wolf met zijn tong uit zijn mond. 'En dan krijg ik weer een ham.'

Prins Frosk moest lachen. 'Ga nu maar snel naar de achterdeur.'

7 De bed-test

Ze zaten met z'n allen aan tafel. Prins Frosk zat
naast het meisje. Hij kon amper een hap door zijn
keel krijgen. Wat was ze mooi! Haar lange haar
leek wel van satijn. En al die sproetjes!
Het meisje vond prins Frosk ook leuk. Niet erg
knap. Daarvoor waren zijn ogen te bol en zijn
mond te breed. Maar hij was aardig en hij had
een lieve lach.
De lakei diende het toetje op.
Lot legde het servet op haar schoot. 'Bent u een
echte prinses?' vroeg ze.
Het meisje knikte en zei: 'Ik heet Rozerood, maar
iedereen noemt me Roos.'
'Je leek gisteren anders niet op een prinses,' zei
de koningin. 'Toen leek je meer op een verzopen
kat.'

Roos stak haar lepeltje in het ijs.

'Dat kwam door het onweer,' zei ze. 'Er liep een wiel van mijn koets zodat ik verder moest lopen, in de stromende regen. Ik werd kletsnat.'

De prins streelde haar hand en keek haar verliefd aan. 'Wat erg voor je.'

Roos lachte. 'Ik zag dit paarse paleis en besloot te vragen of ik mocht schuilen. Het water liep uit mijn haar. Gelukkig liet uw moeder me binnen.'

'We vinden het erg fijn dat je hier bent,' zei de

prins vol vuur en hij pakte haar hand.

'Vooral als je een echte prinses bent,' zei de koningin wat bits.

'Denkt u dat ik lieg?' vroeg Roos.

'Natuurlijk niet,' zei de prins snel.

'Daar kom ik wel achter,' fluisterde de koningin, zo zacht dat alleen Bas het scheen te horen.

Intussen hadden ze hun ijs op. De koningin klapte in haar handen. De lakei schoot toe en ruimde af.

'Frosk, laat jij Roos onze rozentuin zien?' zei de koningin.

Dat wilde prins Frosk wel. Hij sprong op en boog.

'Ga je mee?'

'Graag, ik ben dol op rozen,' lachte Roos. 'Ze ruiken zo heerlijk.'

'Maar jij bent de mooiste roos,' zei prins Frosk.

Wat een gezemel, dacht Bas. Wat deden verliefde mensen stom. Hij besloot later nooit verliefd te worden.

Frosk en Roos liepen hand in hand de eetzaal uit.

'Zo, die zijn weg,' zei de koningin. 'Nu wordt het

tijd voor de test. Ik moet zeker weten of ze een echte prinses is, voordat Frosk verliefd op haar wordt.'

Te laat, dacht Bas. Dat is hij allang.

'Kunnen wij u helpen?' vroeg juffrouw Kummel.

'En wat bedoelt u met "de test"?'

De koningin haalde iets uit haar gewaad en legde het op haar open hand. Het was rood en van glas. Bas stootte Lot aan. 'Dat is...'

'De rode knop,' zei Lot zacht. 'De knop van de zwarte zaal.'

'Deze edelsteen vond ik op een muur,' zei de koningin. 'Hiermee ga ik bewijzen of het meisje een echte prinses is.'

'Hoe dan?' wilde juffrouw Kummel weten.

'Komt u maar mee,' zei de koningin.

Ze stonden op en liepen door het paleis. Bas keek zijn ogen uit. Wat was het hier mooi! Hij bekeek de hoge deuren, het behang dat glom als goud en de kroonluchters vol kaarsen. Via een koele hal kwamen ze bij een trap. Ze gingen naar boven. De koningin duwde de deur van de logeerkamer open.

'Hier gaat Roos straks slapen,' zei ze.

'Wauw!' zei Bas. Tegen de muren lagen matrassen in allerlei kleuren. Dikke en dunne. Bas begon ze te tellen. Vijftien, zestien, zeventien... Hij kwam tot twintig.

De koningin liep naar een kaal, houten bed. Ze legde de rode knop op de bodem.

'Nu moeten die matrassen er allemaal op,' zei ze. Zelf begon ze aan een blauwe matras te sjorren. Ties schoot toe om te helpen. Samen legden ze de matras op de rode knop. Je zag een bobbel zitten.

'Nu de tweede,' zei de koningin.

Juffrouw Kummel en Bas legden een gele matras op de blauwe.

Lot en Ties legden de volgende op zijn plek. Zo werkten ze door. De stapel matrassen werd steeds hoger.

Juffrouw Kummel deed een stapje naar achteren.

'Zal de prinses dit niet een vreemd bed vinden?' vroeg ze.

'Daar zegt ze dan niks van als ze een echte

prinses is,' zei de koningin. 'Een prinses is altijd beleefd. Maar ze zal de bobbel voelen door alle matrassen heen. Er zal iets hards in haar rug prikken waardoor ze geen oog zal dichtdoen.'
'Voelt ze die steen heus door alle matrassen heen?' vroeg Lot.
'Wel als ze een echte prinses is. Dat weet ik zeker,' zei de koningin.
'We kunnen er niet meer bij,' zei Ties.
De koningin wees naar een trapje. Ties zette het naast het bed. Nu konden ze de laatste matrassen opstapelen.
Toen ze klaar waren, keek Bas naar de toren van matrassen. Het zag er raar uit.
De koningin knikte tevreden. 'De bed-test kan beginnen. Morgen bij het ontbijt weten we meer. Dank u voor uw hulp. Blijft u ook slapen?'
Lot, Ties en Bas wilden maar wat graag een nacht blijven slapen in een echt kasteel. En ze wilden ook graag weten of Roos de knop zou voelen. Gelukkig vond juffrouw Kummel het goed.
'Ik wijs u de andere logeerkamers,' zei de koningin.

'Het ontbijt is morgen om acht uur.'
'Net als in het kinderhotel,' zei Lot.

vrijdag (of is het al zaterdag?),
midden in de nacht

Hoi bedenk-boek,

Ik slaap voor het eerst in een
kasteel. Ons bed is zo groot
als mijn kamer thuis.
Zo ziet het eruit.⟶ ⟶
Ties, Lot en ik liggen er met
z'n drieën in.
Ik kan niet slapen omdat ik
niet gewend ben om met
iemand in een bed te slapen.
Ties snurkt en Lot trekt
steeds aan de dekens.

Later, als ik groot ben, wil ik
een eigen kamer en een bed
voor mij alleen.
Ook als ik getrouwd ben.
Waarom moet je dan opeens
met iemand in één bed?
Dat lijkt me niks.

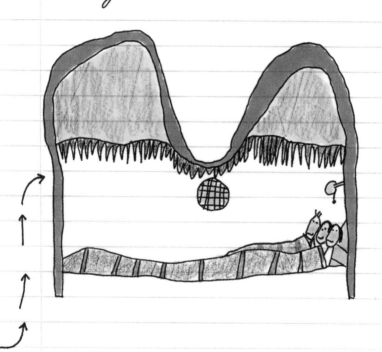

O ja, dan wil ik wel een tv
op mijn kamer.
Dat mag nu niet van mam.
Maar dan ben ik mijn eigen
baas.

Bas is de baas.

8 Altijd beleefd

Tijdens het ontbijt zat prins Frosk weer stijf naast
Roos. Hij schonk thee voor haar in en keek
verliefd uit zijn bolle ogen.
Roos keek duf. Ze wreef in haar ogen.
Bas strooide een beschuit vol suiker. Hij deed er
lekker veel op, omdat dat thuis nooit mocht. Van
zijn moeder moest hij altijd kaas of ham. Zolang
het maar niet zoet was.
'Hebt u allen goed geslapen?' vroeg de koningin.
Ze keek scherp naar Roos.
'Prima,' zei juffrouw Kummel. 'Het is hier zo
rustig.'
'Jullie ook?' vroeg de koningin aan de kinderen.
Lot en Ties knikten. Bas zei maar niks.
'En jij?' vroeg de koningin. Ze keek scherp naar
Roos.

'Heel goed, dank u,' zei Roos.

Hè bah, dacht Bas. Had Roos de knop niet
gevoeld? Was ze toch geen prinses? Wat zielig
voor prins Frosk. Dan mocht hij natuurlijk niet
met haar trouwen.

'Lag uw bed lekker?' vroeg de koningin door.

Roos knikte en zei: 'Het was een heerlijk bed.'

De koningin ging staan en schreeuwde:
'Bedriegster! Dus je bent geen prinses.'

Roos kromp ineen.

'Mama, doe niet zo lelijk,' zei prins Frosk. 'U laat
Roos schrikken.'

'Dat zal me worst zijn,' riep de koningin fel. 'Ik
weet nu zeker dat ze geen prinses is. Niet als ze
lekker geslapen heeft.'

Roos kroop bang tegen de prins aan. Die sloeg
zijn arm om haar heen.

Bas keek eens goed naar Roos. Ze had wallen
onder haar ogen. Ze zag er helemaal niet uit als
iemand die goed geslapen had, eerder als iemand
die wakker had gelegen. Toen schoot hem iets te
binnen.

'Mevrouw, mag ik iets zeggen?' vroeg hij.

De koningin stond nog steeds, breed en blauw en boos. 'Wat?' snauwde ze.

Bas slikte. 'Een prinses is altijd beleefd. Dat zei u gisteren toch?'

'Ja, en?' De koningin keek hem donker aan.

'Zeggen dat je bed niet lekker ligt, is onbeleefd. Als Roos een echte prinses is, zegt ze niet dat haar bed niet fijn was. Want dat is erg onbeleefd.'

De koningin liet zich terugvallen in haar stoel en sloeg haar hand voor haar mond. 'O help, je hebt gelijk.' Ze haalde een paar keer diep adem en zei toen rustig: 'Sorry dat ik zo boos deed. Roos, zeg eens eerlijk. Lag je bed goed?'

Bas zag dat de lip van het meisje trilde. Ze keek strak naar haar bord en zei zacht: 'Het spijt me, maar ik heb de hele nacht op iets hards gelegen. Ik heb geen oog dichtgedaan.'

Een traan rolde over haar wang.

'Yes!' Bas stak zijn vuist in de lucht. 'Ziet u nou wel dat ze een echte prinses is? Ze zei alleen de waarheid niet omdat ze te beleefd was!'

De koningin keek blij. Roos keek verward. Prins
Frosk keek ronduit dom. 'Ik begrijp er niks van,'
stotterde hij.
'U mag met Roos trouwen,' riep Bas, breed
grijnzend.
'Echt?'
'Echt!' zei de koningin. 'O, dit is de mooiste dag
van mijn leven! Er komt een bruiloft! De koets
moet nodig worden gepoetst en de kerk zullen we
ook moeten bespreken. We hebben bloemen
nodig, taart, muziek en duiven... O ja, wel
honderd duiven om alle uitnodigingen te
versturen.'
Ze keek naar juffrouw Kummel en de kinderen.
'U blijft toch wel voor de bruiloft?'
'Mag het?' vroegen Ties, Lot en Bas in koor.
Maar juffrouw Kummel schudde haar hoofd.
'Het is zaterdag, dus ik krijg straks nieuwe gasten
in het kinderhotel. We moeten terug.'
'Ik wil jullie belonen omdat jullie dit rijk hebben
gered,' zei de koningin. Dankzij jullie heeft prins
Frosk zijn prinses.'

'En komen er over een tijd een heleboel kleine prinsjes en prinsesjes bij,' zei prins Frosk.

Roos werd zo rood als een biet.

'Wat kan ik u geven?' vroeg de koningin. 'Kies maar. Een toverspiegel, een gouden bal, glazen muiltjes, dansende schoentjes?'

Juffrouw Kummel wist het niet. Bas schoof naar haar toe en fluisterde iets in haar oor.

Ze knikte blij. 'Bas heeft een goed idee, mevrouw. Mogen we de rode knop hebben die u in het bed hebt gelegd?'

'Die rode edelsteen?' vroeg de koningin. 'Maar natuurlijk. Edelstenen zat!'

Ze klapte in haar handen. 'Lakei!'

9 Een nieuw boek?

'Ik vond dit een mooi avontuur,' zuchtte Lot toen
ze weer bij de uitgang van de zwarte zaal
stonden. De weg terug was niet moeilijk te
vinden geweest. Ze hoefden alleen maar een pad
van gele bakstenen te volgen.
Bas schroefde de rode knop vast en drukte erop.
De deur ging zonder problemen open. Bas was
blij dat ze weer naar buiten konden. 'Sprookjes
zijn helemaal niet saai,' zei hij. 'Ik ben benieuwd
hoe het verder gaat met prins Frosk en Roos.'
Ties trok een grappig gezicht en zei: 'Ze leven
nog lang en gelukkig.'
'Wel raar dat iets uit een boek tot leven kwam,'
zei Lot. 'Ik bedoel... Prins Frosk, de wolf,
Sneeuwwitje. Ze leken echt, maar waren ze dat
ook? Het zijn figuren uit sprookjes. Iemand heeft

ze ooit gewoon bedacht. Een schrijver.'
Juffrouw Kummel lachte. 'Natuurlijk waren ze
echt. Net zo echt als jij en ik. Of denk je dat jij
ook door iemand bent bedacht?'
Daar moesten ze erg om lachen.
Ze stapten de hal van het hotel weer in.
'Wat vinden jullie,' vroeg juffrouw Kummel, 'is het
lezer-kanon goedgekeurd?'
'Nou en of,' zei Bas. 'Dit was het leukste avontuur
dat ik ooit heb beleefd.'
Dan gaan we voor morgen een nieuw boek
uitzoeken,' zei juffrouw Kummel.
'De griezelboot!' juichte Bas.
'Harry Potter,' vond Ties.
'Ik heb een boek over Sesamstraat!' riep Lot.
De jongens keken haar aan of ze niet goed snik
was.
'Ik vind Pino en Elmo anders hartstikke leuk,' zei
Lot.
'Jullie moeten maar even overleggen,' zei
juffrouw Kummel. 'O, daar hoor ik de eerste
gasten al. Lot, doe jij de deur open? Ties, help jij

hen met de koffers? Bas, je blijft toch nog wel
een dag en een nachtje? Hoe laat word je
morgenavond door je moeder opgehaald?'
Juffrouw Kummel wachtte zijn antwoord niet af,
want ze moest aan het werk. Bas zag hoe aardig
ze de kinderen ontving. Tegen een meisje dat
huilde, maakte ze een grapje waardoor die weer
stil werd.
Straks zouden alle kamers van het kinderhotel
weer bezet zijn, bedacht Bas. Gelukkig dat hij
ook nog een dag mocht blijven.
Hij voelde zich warm en blij vanbinnen worden
toen hij zag hoe iedereen zijn taken in het
kinderhotel uitvoerde. Wat was juffrouw Kummel
toch een leuk mens. En Ties en Lot waren net een
broer en zus voor hem. Zou hij Ties gaan helpen
om de koffers van kinderen naar hun kamers te
brengen? Straks, dacht Bas opeens. Want eerst
moet ik iets anders doen.
Hij liep het kantoortje binnen en begon de foto's
die hij gemaakt had, uit te printen. De mooiste
plakte hij in zijn bedenk-boek. Hij schreef er

dingen onder die hij niet wilde vergeten.
Tijdens het knippen en plakken beleefde hij het
sprookjesavontuur bijna helemaal opnieuw.
Af en toe moest hij lachen.
Want sommige foto's waren toch wel heel, héél
grappig geworden.

Mijn beste maatjes: Ties en Lot

Snow is de mooiste van het land.

De bloterik die bij de gelaarsde kat hoort.

De kleine zeemeermin

P.S. Morgen aan mam vragen
wanneer ik weer naar het
kinderhotel mag.
En dan niet vergeten De
griezelboot mee te nemen !!

73

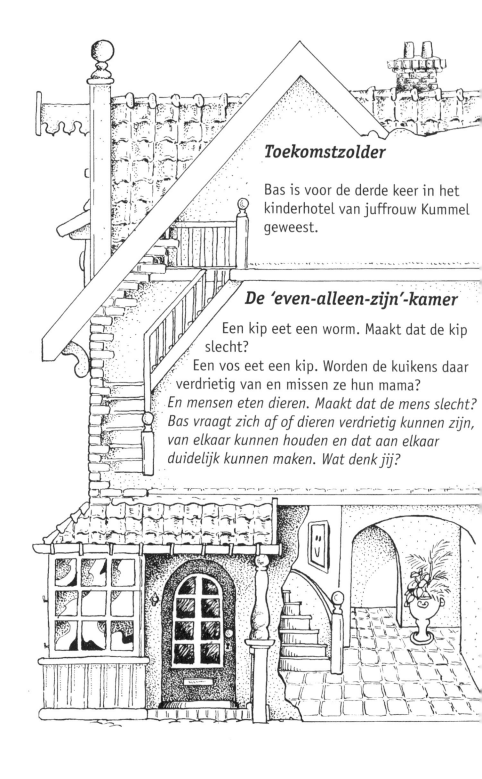

Toekomstzolder

Bas is voor de derde keer in het kinderhotel van juffrouw Kummel geweest.

De 'even-alleen-zijn'-kamer

Een kip eet een worm. Maakt dat de kip slecht?
Een vos eet een kip. Worden de kuikens daar verdrietig van en missen ze hun mama?
En mensen eten dieren. Maakt dat de mens slecht?
Bas vraagt zich af of dieren verdrietig kunnen zijn, van elkaar kunnen houden en dat aan elkaar duidelijk kunnen maken. Wat denk jij?

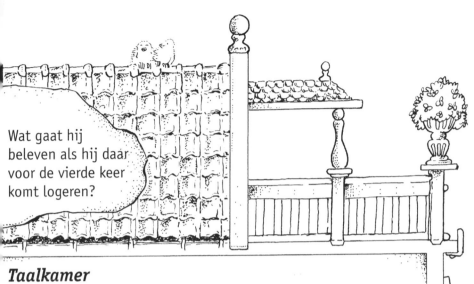

Wat gaat hij beleven als hij daar voor de vierde keer komt logeren?

Taalkamer

'Een prins moet haar wakker kussen,' zei Ties.
'Ja, dat helpt vast,' zei de dwerg met flaporen boos. 'Een emmer water helpt niet, maar een natte zoen wel. Geloof je het zelf?'
Heb je nog meer van zulke taal met humor gelezen?

Lida Dijkstra stuurde een e-mail aan alle lezers.

Lees maar op de volgende bladzijde.

Van: lidadijkstra@hetnet.nl
of mail via: villa@maretak.nl
Aan: <alle lezers van VillA Alfabet>
Onderwerp: Juffrouw Kummel en de kikkerprins

Hallo lezers,

Sprookjes, volksverhalen en legenden, ik ben er dol op.
Toen de uitgever me vroeg om een derde deeltje over die
leuke, malle juffrouw Kummel te schrijven, besloot ik
daarom iets met sprookjes te doen. Natuurlijk moest alles
zich wel afspelen in de zwarte zaal van Het Kinderhotel.
Ik heb bekende sprookjes en personen uit sprookjes
gebruikt, maar er wel mijn eigen draai aan gegeven. Dat
kan niet anders, als juffrouw Kummel zich ermee gaat
bemoeien... De wolf wil bijten? Bam, juffrouw Kummel
geeft hem een mep met haar paraplu. Ligt Sneeuwwitje
bewusteloos in haar glazen kist? Geen probleem, juffrouw
Kummel brengt haar bij met EHBO.
In dit boek kun je dus sprookjes ontdekken. In je eentje
of met de hele klas. Leuk om er met z'n allen over te
praten.
En kom je in 'Juffrouw Kummel en de kikkerprins'
sprookjes tegen, die je niet kent of die je een beetje
vergeten bent... Lees dan weer eens een sprookjesboek of
vraag je juf en meester of ze sprookjes voor willen lezen.
Dan ben je straks net zo dol op sprookjes als ik.

Lida Dijkstra

VillA-vragen

 *Vragen na hoofdstuk 1, bladzijde 16*
Welk boek zou jij in het lezer-kanon willen stoppen?

 *Vragen na bladzijde 73*
1 Het avontuur dat juffrouw Kummel, Bas, Lot en Ties
gaan beleven, komt uit een sprookjesboek. Welke
sprookjes heb jij allemaal herkend?

2 Hoeveel heb je er herkend? Vind je het leuk om te
lezen hoe juffrouw Kummel en de kinderen in de
sprookjes meedoen? En hoe ze net even anders
verlopen als in de originele sprookjes? Lees de
sprookjes er nog maar eens op na. Op school, thuis of
in de bibliotheek is vast wel een groot sprookjesboek
te vinden waar ze allemaal in staan.

3 Heb je op bladzijde 68 gedacht aan het Amerikaanse
sprookje 'De tovenaar van Oz?' De zin 'Ze hoefden
alleen maar een pad van gele bakstenen te volgen'.
verwijst daarnaar. Zoek het maar eens op en kijk of je
dat kunt vinden.

Het kinderhotel van juffrouw Kummel

Lida Dijkstra heeft
eerder al twee
andere, leuke boeken
over Bas en juffrouw
Kummel geschreven.
In 'Het kinderhotel
van juffrouw Kummel'
kun je lezen over de
eerste keer dat Bas in
het kinderhotel gaat
logeren.
Daar heeft hij
trouwens echt geen
zin in. Maar ja, hij
moet wel, want zijn
moeder gaat weer
eens weg.

Maar al snel kijkt Bas zijn ogen uit. Want die
juffrouw Kummel, het lijkt wel of ze..., die kan
allemaal..., ze kan zelfs ook...
Sst. Niet verder vertellen! Dat is immers de vierde
regel van het kinderhotel. Maar wat mag Bas niet
verder vertellen?

De toverlantaarn van juffrouw Kummel

Hoe werkt de zwarte zaal? Bas móet en zál het weten. Dus als hij weer logeert in het Kinderhotel, gaat hij op onderzoek uit. In een klein kamertje ontdekt hij een toverlantaarn. Die heeft er iets mee te maken...
Maar o help, de toverlantaarn gaat stuk. Daardoor zitten Lot, Ties en nog een groepje kinderen opgesloten in de zwarte zaal. Zal het Bas en juffrouw Kummel lukken hen te redden?

VillA Alfabet